Les Enluminures
de la Collection Wildenstein

The Wildenstein
Collection of
Illuminations

Musée
Marmottan
Monet

Preface by Jean-Marie Granier, Manager of the Musée Marmottan-Monet

In 1980 the Musée Marmottan exhibited the collection of illuminations that Daniel Wildenstein had recently given to the Académie des Beaux-Arts. His father, Georges Wildenstein, built it up with passion, starting when he received, at the age of fourteen, two pages from a 15th century manuscript. This was to become one of the most prestigious collections of illuminations in the world, including works from the main artistic centres in Italy and France, and some very rare specimens from the Netherlands, Germany and England, covering a period of four centuries from the Middle Ages to the Renaissance.

Having been unfortunately separated from their original manuscripts, the sheets can, as a result, be shown to the public; the Musée Marmottan with the help of Daniel Wildenstein now exhibits them in a new presentation.

The pages are displayed by country, region and chronologically. A complete catalogue is being published, containing the names of famous illuminators such as Jean Fouquet, Jean Colombe, Jean Perréal, Jean Bourdichon in France, and in Italy Lorenzo Monaco, Cristoforo Cortese, Niccolo di Giacomo or Giulio Clovio...

Above: Tuscany, Florence, circa 1330, Two Martyr Saints (initial S), 160 x 123mm. In the margin: Rome, end of the 15th century, decorative border from The Crucifixion, The Last Supper and the four Evangelists inside medallions, 380 x 265 mm, detail. Right page: Portrait of Georges Wildenstein by Cecil Beaton, Foundation Wildenstein collection.

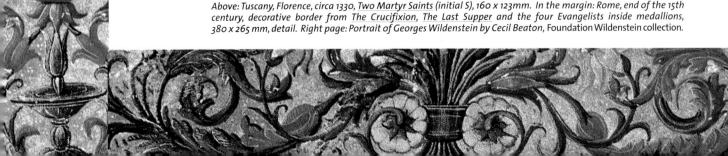

Préface de Jean-Marie Granier, directeur du Musée Marmottan-Monet

En 1980, le Musée Marmottan présentait la collection d'enluminures que Daniel Wildenstein venait d'offrir à l'Académie des Beaux-Arts. Son père Georges Wildenstein l'avait constituée avec passion depuis l'âge de quatorze ans, quand deux pages d'un manuscrit du XVe siècle lui avait été offertes. Ce fut le début de l'une des plus prestigieuses collections d'enluminures au monde, rassemblant les œuvres issues des principaux centres artistiques d'Italie, de France et quelques très rares pièces des Pays-Bas, d'Allemagne et d'Angleterre, couvrant une période de quatre siècles, du Moyen Age au début de la Renaissance. Malheureusement détachées de leur manuscrit d'origine, elles peuvent cependant, grâce à cela, être exposées, ce que le Musée Marmottan-Monet, dans une nouvelle présentation, vient de réaliser avec l'aide de Daniel Wildenstein. Les feuillets sont ici montrés par ordre chronologique par pays et par région. Un catalogue scientifique exhaustif est en cours d'élaboration qui rassemblera les œuvres des plus prestigieux enlumineurs tels, pour la France, Jean Fouquet, Jean Colombe, Jean Perréal, Jean Bourdichon, et, pour l'Italie, Lorenzo Monaco, Cristoforo Cortese, Niccolo di Giacomo ou Giulio Clovio...

Page de gauche : Toscane, Florence, vers 1330, *Deux saints martyrs* (initiale S), 160 x 123 mm. En marge : Rome, fin XVe siècle, bordure décorative de *La Crucifixion, la Cène* avec médaillons figurant les quatre évangélistes, 380 x 265 mm, détail. Ci-dessus : Portrait de Georges Wildenstein par Cecil Beaton, coll. Fondation Wildenstein.

Georges Wildenstein, collector

Manuel Jover

Georges Wildenstein (1892-1963) had two passions in life: painting and horses, "the picture rail and the paddock" as Hemingway would have said.

Son of Nathan, himself a great art dealer and founder of a real empire, Georges grows up surrounded by some of the most beautiful paintings in the world. He has The Reader by Fragonard and a Portrait of Titus by Rembrandt hanging in his bedroom. From his father he receives his artistic culture and his sense of business, which, together with an infallible memory and great erudition, will turn him into the most eminent art dealer and collector of his time. At least with regards to antique art, concerning modern art he remains extremely reserved. Following his motto: "Be bold when you buy, patient when you sell. Time does not matter", he builds up an extraordinary stock of canvases by the greatest masters. Thus an article by Jean Clay published in 1959 mentions "2000 paintings worthy of the best art galleries", including 8 Rembrandts, as many by Velasquez, 9 Grecos, 5 Tintorettos, 4 Titians, 12 Poussins, 79 Fragonards, 7 Watteaus, 25 Courbets, 10 Cézannes, 10 Van Goghs....

Georges Wildenstein is also a recognised expert, an authority in particular on the subject of 18th century French art. All the works of art that go through his hands enrich his huge files. He also establishes a catalogue of the complete works of his favourite painters. This unique material, collected throughout the world thanks to an exceptional network of collaborators, enables him to locate the works and follow their movements. It also constitutes the basis of many complete catalogues (Fragonard, Chardin, Ingres, David, Manet, Gauguin…) published by his foundation.

The collection of illuminations

Georges Wildenstein had a predilection for Medieval and Renaissance illuminations. Because of the interest of art collectors for these pictures during the 18th century and especially after the French Revolution, many manuscripts had had their most beautiful pages and illustrations cut out. On his fourteenth birthday, Georges receives from his father one of these miniatures. It is the starting point of a collection

In the background: Flemish school, Ghent, circa 1480-1490, Master of Maximilian I's First book of prayers from a Book of Hours, Saint George, 165 x 110 mm, detail.

Georges Wildenstein, collectionneur

Manuel Jover

Georges Wildenstein (1892-1963) avait deux passions : la peinture et les chevaux, « *la cimaise et le paddock* », aurait dit Hemingway. Fils de Nathan, grand marchand d'art lui-même, fondateur d'un véritable empire, Georges grandit au milieu des plus beaux tableaux du monde. *La Liseuse* de Fragonard et un *Portrait de Titus* par Rembrandt ornent sa chambre. Son père lui transmet une culture artistique et un sens des affaires qui, liés à une infaillible mémoire et à une grande érudition, feront de lui, à son tour, le plus grand marchand-collectionneur de son époque. Tout au moins pour l'art ancien, car, pour le moderne, il se montrait plus réservé. Suivant sa devise : « *Audace dans l'achat, patience dans la vente. Le temps ne compte pas* », il constitue un extraordinaire stock de toiles des plus grands maîtres. Un article de Jean Clay, paru en 1959, mentionne ainsi « *2 000 toiles dignes des meilleures pinacothèques* ». Parmi elles se trouvent 8 Rembrandt, autant de Rubens, 3 Vélasquez, 9 Greco, 5 Tintoret, 4 Titien, 12 Poussin, 79 Fragonard, 7 Watteau, 25 Courbet,

10 Cézanne, 10 Van Gogh... Georges Wildenstein s'affirme également comme un expert dont les avis font autorité, notamment pour l'art français du XVIIIe siècle. Toutes les œuvres passées entre ses mains au long de sa carrière nourrissent son immense fichier. De même, il s'emploie à répertorier l'œuvre complet de ses peintres préférés. Cette documentation unique, collectée dans le monde entier grâce à un exceptionnel réseau de collaborateurs, lui permet de localiser les œuvres et de suivre leur circulation. Elle forme aussi la base des nombreux catalogues raisonnés (Fragonard, Chardin, Ingres, David, Manet, Gauguin…) publiés par sa fondation.

La collection d'enluminures

Georges Wildenstein avait une prédilection pour les enluminures du Moyen Age et de la Renaissance. L'intérêt des amateurs pour ces images avait provoqué, au XVIIIe siècle et surtout après la Révolution, le découpage des manuscrits afin d' en extraire les plus belles pages, sinon les plus belles

En fond : Ecole flamande, Gand, vers 1480-1490, Maître du Premier livre de prières de Maximilien I, feuillet provenant d'un livre d'heures, *Saint Georges*, 165 x 110 mm, détail.

that the art dealer will improve for over fifty years and to which he will remain particularly attached, choosing it among all the prestigious paintings that he owned, to decorate his office walls. This series reflects the collector's preference rather than his desire to constitute homogenous sets, in fact it does not contain whole books. It is nevertheless considerable in quantity – over 300 pieces – as well as in quality. "Monsieur Georges", as he was known in auction rooms, was willing to seek advice from the great experts, such as Bernard Berenson and Charles Sterling. The collection contains a few sheets from manuscripts from Germany, England and the Netherlands but it is mainly composed of Italian and French works, ranging from the 13th to the 16th century. Among the most remarkable pages are the initials by the Sienese Niccolo di Ser Sozzo Tegliacci, the Florentine Lorenzo Monaco and the initial in which the Lombard Girolamo dei Corradi da Cremona represented the _Baptism of Constantine_ inside a letter P, treated like a structure. Another Lombard, San Michele a Murano, is the author of a series of twelve pages including the very beautiful _Apostles' Mission_. The 16th century in Italy is admirably represented by several pages by Attavante, the most famous of the Florentine illuminators, and by three miniatures by the painter Giulio Clovio, a friend of El Greco's, whose tortured nudes, sharp colours and grotesques are typical of mannerism. But one of the finest pieces of the collection is one of the six pages preserved intact of the _Hours of Etienne Chevalier_, painted by Jean Fouquet around 1450. It shows an _Episode of the Life of Saint Vrain_: the Saint is performing an exorcism in a church, which can be recognised as Notre-Dame de Paris. The Musée Condé in Chantilly owns forty-two miniatures from the same book. The French schools are represented by several other famous illuminators: Colombe, Bourdichon (_The Judas Kiss_), Perréal (_Alchemy_), and many other anonymous or unidentified masters.

Georges Wildenstein expressed the desire to leave his miniatures to the State but he died before he could carry out this project. His son Daniel, Member of l'Académie des Beaux-Arts since 1971, will fulfil his father's wish by giving, after having increased it, the invaluable collection to the Musée Marmottan.

In the background: Germany ? Alsace ? Switzerland ?, third quarter of the 13th century, historiated initial, Saint, Crowning, 142 x 135 mm, detail.

illustrations. Pour ses quatorze ans, Georges reçoit de son père une de ces miniatures. C'est le début d'une collection que le marchand va enrichir pendant plus de cinquante ans et pour laquelle il aura une tendresse particulière, la préférant pour décorer les murs de son bureau aux nombreuses toiles prestigieuses qu'il possédait. Cet ensemble reflète les coups de cœur du collectionneur plus que le souci de former des suites homogènes. S'il ne contient pas de recueils entiers, il n'en est pas moins considérable par le nombre – plus de 300 pièces – comme par la qualité. « *Monsieur Georges* », comme on l'appelait dans les salles des ventes, prenait volontiers conseil auprès de grands experts, comme Bernard Berenson et Charles Sterling.

Si elle comprend quelques feuilles provenant de manuscrits allemands, anglais et des Pays-Bas, la collection est essentiellement constituée d'œuvres italiennes et françaises allant du XIIIᵉ au XVIᵉ siècle. Parmi les plus belles pages, il faut citer les lettrines du Siennois Niccolo di Ser Sozzo Tegliacci, celle du Florentin Lorenzo Monaco, et celle où le Lombard Girolamo dei Corradi da Cremona a représenté *Le Baptême de Constantin* à l'intérieur d'un P traité comme une architecture. Un autre Lombard, San Michele a Murano, est l'auteur

d'une suite de douze feuillets, dont la très belle *Mission des Apôtres*. Le XVIᵉ siècle italien est brillamment représenté par plusieurs feuillets d'Attavante, le plus fameux des enlumineurs florentins, et par trois miniatures du peintre Giulio Clovio, un ami du Greco, dont les nus tourmentés, les couleurs acides et les grotesques sont typiquement maniéristes. Mais l'un des plus beaux fleurons de la collection est un des six feuillets restés intacts des *Heures d'Etienne Chevalier*, peint par Jean Fouquet dans les années 1450. Il s'agit d'un *Episode de la vie de saint Vrain* : le saint procède à un exorcisme, dans une église où l'on reconnaît Notre-Dame de Paris. Le Musée Condé, à Chantilly, possède 42 miniatures provenant de cet ouvrage. Les écoles françaises sont encore représentées par d'autres grands enlumineurs : Colombe, Bourdichon (*Le Baiser de Judas*), Perréal (*L'Alchimie*), sans compter les nombreux maîtres anonymes ou non-identifiés.

Georges Wildenstein avait exprimé le souhait de faire don de ses miniatures à l'Etat mais il mourut avant d'avoir pu réaliser son projet. C'est son fils Daniel, membre de l'Académie des Beaux-Arts depuis 1971, qui exécutera le vœu de son père en donnant, après l'avoir accrue, la précieuse collection au Musée Marmottan.

En fond : Allemagne ?, Alsace ?, Suisse ?, troisième quart du XIIIᵉ siècle, initiale historiée, *Saint, Couronnement*, 142 x 135 mm, détail.

Illuminations in the Middle Ages and the Renaissance

Manuel Jover

The decorations painted or drawn on manuscripts to embellish or illustrate the text are called illuminations. They were developed during the Middle Ages and the Renaissance. Illuminations "illuminate" the text in two different ways: by the use of silver and gold of which the magnificence reflects the glory of God and by clarifying its meaning. These decorative elements also serve as visual marks to help the reader return to a specific passage; furthermore the figurative scenes enable the user, often illiterate, to remember the story. The development of illuminated manuscripts is closely connected to the generalisation of parchment (the skin of an animal tanned and whitened with chalk) which begins at the end of Antiquity. The codex (book), made of folded and bound sheets of parchment, replaces advantageously the roll of papyrus. It can contain more text and the decoration is improved: the latter is now organised within the space of the page and can benefit from a richer treatment since the flat surface is able to receive several layers of colour and gold. As for

paper, it will only be used at the end of the Middle Ages and for less luxurious works.

Between the 6th and the 12th century, manuscripts are produced in the scriptorium of a monastery. Very often the copyist monk (who copied entire books) also did the illustration. The name of the scriptor is often mentioned in the colophon, whereas the pictor remains anonymous. As from the end of the 12th century, with the development of universities and the appearance of a new category of rich merchants, the monopoly of books is no longer controlled by the monasteries. Students, priests, lawyers become copyists while the illuminators, sometimes also goldsmiths, get together within a corporation. Nevertheless some of them remain independent and travel from town to town in search of commissions. The most renowned among them may enter the service of powerful patrons. The making of a manuscript being an extremely long and costly task, the most sumptuous works could never have been achieved without the support of great patrons such as

Background: Flemish school, Brugges, circa 1480-1490, Master of the Prayer Book of 1500, page from a Book of Hours, The Resurrection of Lazarus, 165 x 125 mm, detail.

L'enluminure au Moyen Age et à la Renaissance

Manuel Jover

L'enluminure est le nom donné au décor peint ou dessiné des manuscrits dont elle orne ou illustre le texte. Son histoire couvre tout le Moyen Age et la Renaissance. Elle « illumine » le texte de deux manières : par l'emploi de l'or et de l'argent, dont la magnificence reflète la gloire divine, et en clarifiant le sens. Ces éléments décoratifs servent en effet de repères visuels permettant de retrouver rapidement un passage précis ; de plus, les scènes figuratives aident l'utilisateur souvent illettré à se remémorer l'histoire.

L'essor du manuscrit enluminé est indissociable de la généralisation de l'usage du parchemin (peau d'animal tannée et blanchie à la craie) dès la fin de l'Antiquité. Le codex (livre), en feuilles de parchemin pliées et reliées, remplace alors avantageusement le rouleau de papyrus. Il contient beaucoup plus de texte, et le décor peut s'y épanouir : il s'ordonne désormais dans l'espace de la page et bénéficie d'un traitement plus riche, la feuille à plat pouvant recevoir des épaisseurs de couleur et d'or.

Le papier, quant à lui, n'est utilisé qu'à la fin du Moyen Age, et pour les productions les moins luxueuses.

Du VIe au XIIe siècle, les manuscrits sont fabriqués dans le *scriptorium* des monastères. Il arrive souvent que le moine copiste (qui recopiait des livres entiers) réalise aussi l'illustration. Si le nom du *scriptor* (celui qui écrit) est souvent mentionné , le *pictor* (celui qui peint), lui, reste anonyme. A partir de la fin du XIIe siècle, avec le développement des universités et l'apparition d'une nouvelle clientèle de riches marchands, le monopole du livre échappe aux monastères. Etudiants, prêtres, juristes deviennent copistes, alors que les enlumineurs, qui sont parfois aussi orfèvres, se regroupent au sein d'une corporation. Certains, toutefois, restent indépendants, voyageant de ville en ville en quête de commandes. Les plus réputés d'entre eux peuvent entrer au service exclusif de puissants mécènes. La fabrication d'un manuscrit étant extrêmement longue et coûteuse, les ouvrages les plus

Charles V, Jean de Berry, the Dukes of Burgundy, the Medicis or the Sforza…

Most medieval manuscripts are obviously inspired from liturgical sources. Psalters contain psalms for the celebration of church services. Sometimes, as in the Books of Hours, they include a calendar with the names of Saints, the different tasks that correspond to the months of the year, the signs of the zodiac. A book of Hours is a collection of prayers for the layman, following the eight canonical hours; intended for the nobility, it is very richly illustrated. Graduals and antiphonaries are large hymnbooks, which can be read by the whole choir during church services. The lives of Saints represent each character with their attributes, their miracles and their martyrdom.

Some secular books are also illustrated: historical chronicles (such as Froissart's), tales of chivalry (the book of King Arthur), bestiaries which evoke real and fabulous animals, herbariums for the use of "physicians", study books with few decorations intended for students. Although some ancient texts (in particular Ovid, Horace and Virgil) are very popular in the Middle Ages, it is mainly during the Renaissance that books by Greek and Latin authors will be reproduced. The decorations on the manuscripts contain several elements of which the significance and the character vary according to the style and the period. The scenes represented, or miniatures, are placed either at the beginning or in the middle of the text or full-page. The initials may be decorated (sometimes in an extraordinarily elaborate way: in some Anglo-Saxon manuscripts the interlacing and spirals cover the whole page), zoomorphic or historiated. In the last case they contain a narrative scene, in-between the down-strokes or in the centre of the letter, which may be as important as the miniature itself. The edges are most of the time adorned with garlands intermingled with birds, butterflies and insects but they can also be treated like real frames. At the bottom of the page, during the gothic period, the artists gave rein to their fantasy by introducing all kinds of "oddities", grotesque or fantastic figures, amusing or even licentious scenes.

The decorations were carried out in the spaces left out by the copyist. The artist therefore had to comply with a pre-existing layout. For the illustration of liturgical texts he had to conform to the requirements of his patron and to a number of iconographic conventions. He drew his motifs – often found in a book of models – in dry point, he then traced over them in ink before laying down the colours. The pigments, of organic or mineral origin, were ground and mixed with egg white or gum. Some of them, like ultramarine obtained from lapis lazuli, were precious

In the background: School of Hainaut, circa 1260-1270, two initials from a Bible: Micah prophesying (initial V), 45 x 51 mm; Jonah Coming Out of the Whale , (initial E), 46 x 50 mm, detail.

sompteux n'auraient jamais vu le jour sans le soutien des grands mécènes que furent Charles V, Jean de Berry, les ducs de Bourgogne, les Médicis ou les Sforza…

La plupart des manuscrits médiévaux sont évidemment d'inspiration liturgique. Les psautiers contiennent les psaumes pour la célébration des offices. On y trouve parfois, comme dans les livres d'heures, un calendrier avec le nom des saints, les travaux correspondant aux mois de l'année, les signes du zodiaque. Les livres d'heures sont des recueils de prières à l'usage des laïcs, fondées sur les huit heures canoniques ; destinés aux nobles, ils sont très richement illustrés. Les graduels et les antiphonaires sont des livres de chants de grande taille afin d'être lus par l'ensemble du chœur pendant les offices. Les vies des saints présentent chaque personnage avec ses attributs, ses miracles et son martyre.

Mais on illustre aussi des livres profanes : chroniques historiques (comme celles de Froissart), romans de chevalerie (*Histoire du roi Arthur*), bestiaires mêlant animaux réels et fabuleux, herbiers à l'usage des « médecins », livres d'étude, peu décorés, destinés aux étudiants. Si certains textes de l'Antiquité (en particulier ceux d'Ovide, Horace et Virgile) jouissent d'une grande faveur au Moyen Age, c'est surtout à la Renaissance qu'on multipliera les livres d'auteurs grecs et latins.

Le décor des manuscrits comporte plusieurs éléments dont l'importance et le caractère varient au gré des styles et des époques. Les scènes figurées ou miniatures sont placées en début ou dans le corps du texte, ou en pleine page. Les initiales ou lettrines peuvent être ornées – parfois d'une façon extraordinairement complexe : dans certains manuscrits anglo-saxons, elles déploient leurs entrelacs et leurs spirales sur toute la page –, zoomorphes ou encore historiées. Dans ce cas, elles abritent une scène narrative, dans leurs jambages ou en leur centre, qui peut rivaliser d'importance avec la miniature elle-même. Les bordures sont le plus souvent garnies de guirlandes végétales où se mêlent oiseaux, papillons et insectes, mais elles peuvent aussi être traitées comme de véritables cadres. Dans les bas de page, à l'époque gothique, les artistes donnent libre cours à leur fantaisie, en introduisant toutes sortes de « drôleries », figures fantastiques ou grotesques, scènes amusantes, voire grivoises.

Les décors étaient réalisés dans les espaces laissés en réserve par le copiste. Le peintre se pliait donc à une mise en page préexistante. Pour l'illustration des textes liturgiques, il devait se conformer aux

En fond : Ecole du Hainaut, vers 1260-1270, deux initiales provenant d'une bible : *Micah prophétisant* (initiale V) et *Jonas sortant de la baleine* (initiale E), 45 x 51 mm et 46 x 50 mm, détail.

and kept for important motifs such as the Virgin's dress. The paint was applied either as a thick gouache, or in light coloured coats like watercolour. When the miniature had a gold background, the gold was put on prior to the painter's work. The gold sheets were laid onto a red preparation, the base, then the precious metal was polished until it became smooth and shiny (burnishing). The highlights, produced with gold dust mixed with glue, were applied at the very end, after the colours. The operation was sometimes made by a gilder.

Of Byzantine origin, gold backgrounds become widespread at the beginning of the Gothic period and continue until the middle of the 14th century. Then when painting becomes more and more realistic and concerned with representing space in three dimensions, they disappear. Since the 12th century, the illumination of books was made in the same workshops as statues and paintings. This partly explains the growing influence of autonomous painting on the decoration of manuscripts. In Italy, illuminators rapidly appropriate the novelties of Giotto or Lorenzetti's art.

In France, illumination reaches its golden age during the 14th and the 15th centuries, with artists such as Jean Pucelle, the illuminators of the Dukes of Burgundy and of Jean de Berry (Jacquemart de Hesdin, the Limbourg brothers), Jean Fouquet or Jean Bourdichon.

In the 15th century, illuminators have perfectly mastered the art of relief and perspective, to the extent that illumination tends to converge with "great" painting. The miniatures of the Renaissance are composed like real paintings and the edges are treated like frames using the new architectural and ornamental vocabulary inspired from Antiquity.

Illumination loses its specificity in a century when easel painting becomes prevalent and the invention of printing and the development of engraving leads to the ascendancy of printed books. It will survive nevertheless until the end of the 16th century, in some magnificent works all the more valued by sovereigns that their production has become rare.

In the background : Flemish school, Bruges, circa 1470-1480, Master of Edward IV, page of a _Book of Hours_, _The Resurrection of Lazarus_, 155 x 100 mm.

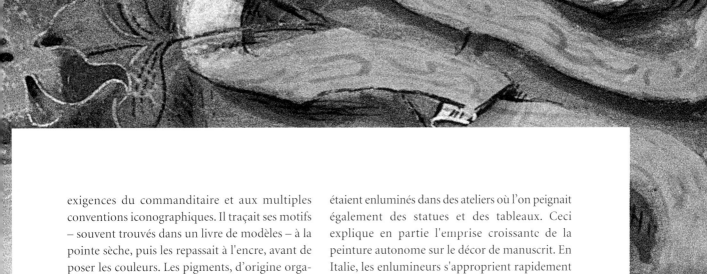

exigences du commanditaire et aux multiples conventions iconographiques. Il traçait ses motifs – souvent trouvés dans un livre de modèles – à la pointe sèche, puis les repassait à l'encre, avant de poser les couleurs. Les pigments, d'origine organique ou minérale, étaient broyés puis mélangés à du blanc d'œuf ou de la gomme. Certains, comme le bleu outremer obtenu à partir du lapis-lazuli, étaient précieux et réservés à des motifs importants, comme la robe de la Vierge. La peinture était appliquée soit sous forme de gouache épaisse, soit en couches de couleur légères comme de l'aquarelle. Lorsque la miniature comportait un fond d'or, celui-ci était posé en amont du travail du peintre. Les feuilles d'or étaient appliquées sur une préparation rouge, l'« assiette », puis on polissait le précieux métal pour le rendre lisse et brillant (brunissage). Les rehauts, faits avec de la poudre d'or mélangée à de la colle, étaient posés à la fin, après les couleurs. L'opération pouvait être pratiquée par un doreur.

D'origine byzantine, les fonds d'or se généralisent au début de l'époque gothique et perdurent jusqu'au milieu du XIVe siècle. Puis, la peinture devenant de plus en plus réaliste et soucieuse de représenter l'espace en trois dimensions, ils disparaissent. Depuis le XIIe siècle, les livres étaient enluminés dans des ateliers où l'on peignait également des statues et des tableaux. Ceci explique en partie l'emprise croissante de la peinture autonome sur le décor de manuscrit. En Italie, les enlumineurs s'approprient rapidement les nouveautés de l'art de Giotto ou Lorenzetti. En France, l'enluminure connaît un véritable âge d'or aux XIVe et XVe siècles, avec des artistes tels que Jean Pucelle, les enlumineurs des ducs de Bourgogne et de Jean de Berry (Jacquemart de Hesdin, les frères Limbourg), Jean Fouquet ou Jean Bourdichon.

Au XVe siècle, les enlumineurs maîtrisent parfaitement la science du modelé et de la perspective, au point que l'enluminure tend à se confondre avec la « grande peinture ». Les miniatures de la Renaissance sont conçues comme de véritables tableaux, et les bordures sont traitées comme des cadres où l'on décline le nouveau vocabulaire architectural et ornemental inspiré de l'antique. L'enluminure perd de sa spécificité, en un siècle où le tableau de chevalet se généralise et où l'invention de l'imprimerie et l'essor de la gravure vont permettre le triomphe du livre imprimé. Elle se survit cependant, à travers de somptueux ouvrages d'autant plus prisés par les princes que leur production se raréfie, jusqu'à la fin du XVIe siècle.

En fond : Ecole flamande, Bruges, vers 1470-1480, Maître d'Edouard IV, page d'un livre d'heures, *La Résurrection de Lazare*, 155 x 100 mm, détail.

Album

Chefs-d'œuvre de la collection Wildenstein
Masterpieces of the Wildenstein Collection

Girolamo da Cremona, Lombardie, vers 1465, *La Présentation du Christ au Temple*, 110 x 75 mm, détail.

En haut : Toscane, fin XIVe siècle, *La Libération de saint Pierre* (initiale N), 175 x 165 mm.

Girolamo da Cremona, Lombardy, circa 1465, The Presentation of Christ in the Temple, 110 x 75 mm, detail.

Above: Tuscany, end of the 14th century, The Liberation of Saint Peter (initial N), 175 x 165 mm.

William de Brailes, Oxford, 1230-1240, *Création d'Adam et Eve*, feuillet provenant d'un psautier, 100 x 66 mm.

William de Brailes, Oxford, 1230-1240, *The Creation of Adam and Eve*, page from a psalter, 100 x 66 mm.

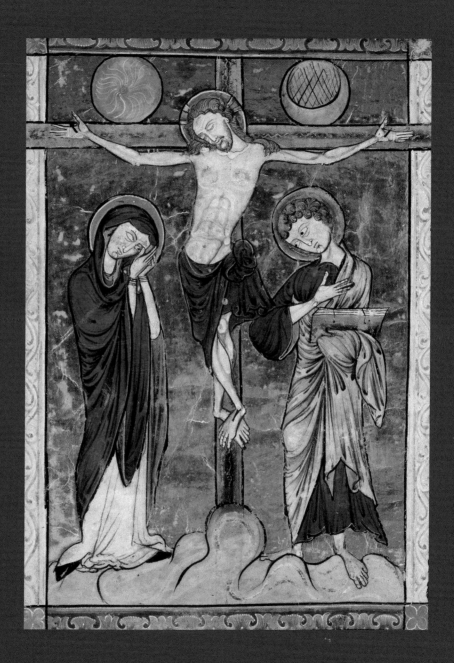

Paris, vers 1220, *Crucifixion*, feuillet provenant d'un missel, 167 x 118 mm.

Paris, circa 1220, <u>The Crucifixion</u>, page from a missal, 167 x 118 mm.

De gauche à droite : Allemagne ? Alsace ? Suisse ?, troisième quart du XIIIᵉ siècle, *Saint, Couronnement*, initiale historiée, 142 x 135 mm.

Ecole parisienne, seconde moitié du XIIIᵉ siècle (vers 1260), *L'Adoration des Mages* (initiale H) provenant d'un antiphonaire, 60 x 63 mm.

Page de droite : Richard de Montbaston, Paris, deuxième quart du XIVᵉ siècle, *Festin d'un roi*, 70 x 65 mm.

From left to right : Germany ? Alsatia ? Switzerland ?, third quarter of the 13th century, <u>Saint, Crowning</u>, historiated initial, 142 x 135 mm.

French school, half of 13th century (c. 1260), Parisian school, <u>Adoration of the Three Wise Men</u>, (initial H), from an antiphonary, 60x63 mm.

Right page: Richard de Montbaston, Paris, second quarter of the 14th century, <u>Feast of a king</u>, 70 x 65 mm.

Maître de Guillebert de Mets, Gand (?), vers 1430-1440,
Saint Georges, feuillet provenant d'un livre d'heures,
133 x 105 mm.

*Master of Guillebert de Mets, Ghent (?), circa 1430-
1440, page from a book of Hours, Saint George,
133 x 105 mm.*

Jean Perréal, Lyon, 1516, *L'Alchimiste*, frontispice illustrant le poème composé par Jean Perréal, *La Complainte de Nature à l'Alchimiste errant*, et provenant du manuscrit, Bibliothèque Sainte-Geneviève, Paris, 181 x 134 mm.

Jean Perréal, Lyons, 1516, <u>Alchemist</u>, frontispiece illustrating the poem composed by Jean Perréal, <u>The Lament of Nature to the Wandering Alchemist</u>, from the manuscript, Sainte-Geneviève Library, Paris, 181 x 134 mm.

LA MER   CLERIN   MEVRE   BINM   VOSEGE

LE PARC DES GERMAINS

LE PARC SESAR

LEBASADE DIS GERMAIS

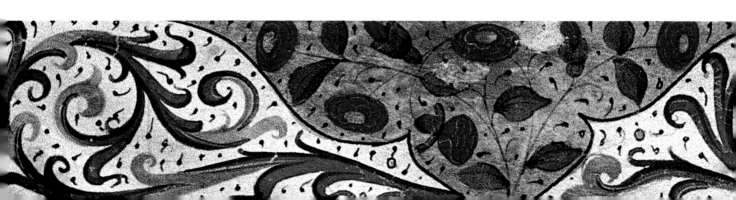

Page de gauche : Maître du Bréviaire Monipenny, Bourgogne ou Paris, vers 1485, *Jules César recevant l'ambassade des Germains.* Armoiries d'Antoine, Grand Bâtard de Bourgogne (1421-1504), 173 x 225 mm.

Left page: Master of the Monipenny Breviary (c. 1485), <u>Julius Caesar Receiving the German Embassy,</u> bearing the arms of Antoine, Great Bastard of Burgundy (1421-1504), 173 x 225 mm.

Page de droite : Paris, après 1493, *L'Amiral de Graville chassant le sanglier,* feuillet provenant du *Terrier de Marcoussis.* Armoiries de Louis Malet, Seigneur de Graville, et de ses filles aînées, 376 x 270 mm.

Right page: Paris, after 1493, <u>The Admiral of Graville hunting the wild boar,</u> sheet from <u>The Terrier de Marcoussis,</u> bearing the arms of Louis Malet, Seigneur de Graville, and his two daughters, 376 x 270 mm.

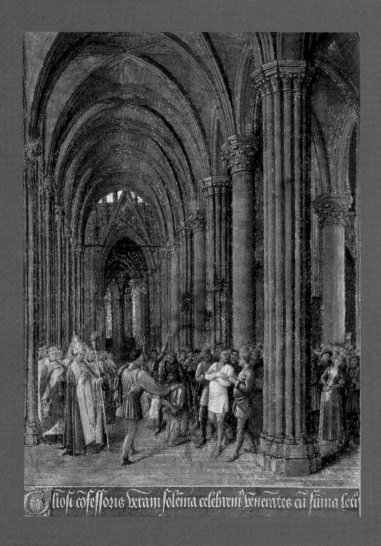

Jean Fouquet, Tours ou Paris, 1452-1460, *Saint Vrain, évêque de Cavaillon, guérit les possédés*, feuillet provenant des *Heures d'Etienne Chevalier*, 220 x 140 mm.

French school, between Jean Fouquet, Tours or Paris, 1452-1460, Saint Vrain, Bishop of Cavaillon, curing the possessed, page from the Hours of Etienne Chevalier, *220 x 140 mm.*

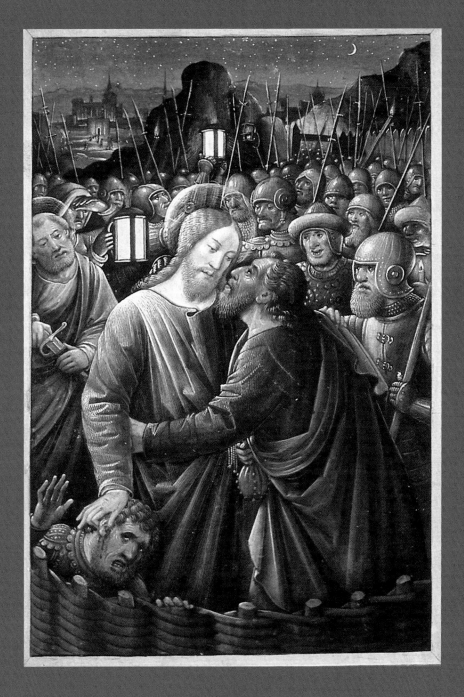

Jean Bourdichon, Tours, fin du XVᵉ siècle, *Baiser de Judas*, feuillet provenant d'un livre d'heures, 200 x 135 mm.

Jean Bourdichon, Tours, end of the 15th century, *Judas Kiss*, page from a book of Hours, 200 x 135 mm.

Wilhelm Vrelant, Bruges, vers 1450-1460, *La Nativité*,
116 x 157 mm.

*Wilhelm Vrelant, Brugges, circa 1450-1460, <u>The Nativity</u>,
116 x 157 mm.*

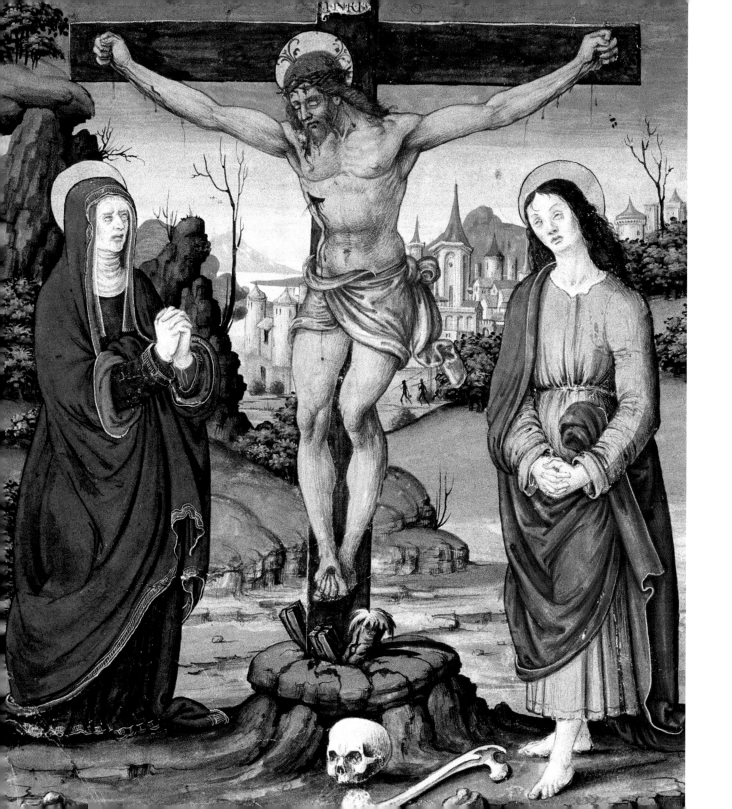

Rome, fin XVe siècle, Maître français (?), Francesco
Marmitta et Giuliano Amadei, *La Crucifixion,
La Cène* et bordure avec médaillons figurant les
quatre évangélistes, 380 x 265 mm.

*Rome, end of the 15th century, French master (?), Francesco
Marmitta and Giuliano Amadei, The Crucifixion,
The Last Supper and decorative border with the four
Evangelists inside medallions, 380 x 265 mm.*

Attavante (Vante di Gabriello di Vante Attavanti),
Florence, vers 1502, *Le Songe de saint Romuald*, 440 x 340 mm.

*Attavante (Vante di Gabriello di Vante Attavante), Florence,
circa 1502, The Dream of Saint Romuald, 440 x 340 mm.*

Maître de San Michele a Murano,
Lombardie et Venise, début XVe siècle, *La Mission
des Apôtres*, 540 x 365 mm.

Master of San Michele a Murano, Lombardy and Venice,
beginning of the 15th century, The Apostles' Mission,
540 x 365 mm.

De gauche à droite : Lucchino di Giovanni Belbello da Pavia (actif vers 1430-1462), Lombardie, *Sainte Catherine d'Alexandrie* (initiale R), 200 x 170 mm.

Sano di Pietro (1406-1481), Sienne, *Dieu créant les étoiles* (initiale O), 225 x 196 mm.

Page de droite : Giovan Pietro Birago (?), Milan, fin XVᵉ siècle, *Le Fou* (initiale D), 115 x 110 mm.

From left to right: Lucchino di Giovanni Belbello da Pavia (active c. 1430-1462), Lombardy, *Saint Catherine of Alexandria (initial R)*, 200 x 170 mm.

Sano di Petro (1406-1481), Sienna, *God Creating the Stars (initial O)*, 225 x 196 mm.

Right page: Giovan Pietro Birago (?), Milan, end of the 15th century, *The Fool (initial D)*, 115 x 110 mm.

Ci-dessus : Maître du Salomon Wildenstein (Protasio Crivelli ?), Milan, fin XVe siècle, *Saint Michel combattant le Démon* (initiale B), 145 x 150 mm.

Page de droite : Maître du Salomon Wildenstein (Protasio Crivelli ?), Milan, fin XVe siècle, *Saint Maurice et la Légion thébaine* (initiale N), 150 x 145 mm.

Above: Master of the Salomon Wildenstein (Protasio Crivelli ?), Milan, end of the 15th century, Saint Michael Fighting the Demon (initial B), 145 x 150 mm.

Right page: Master of the Salomon Wildenstein (Protasio Crivelli ?), Milan, end of the 15th century, Saint Maurice and the Theban Legion (initial N), 150 x 145 mm.

Mariegola de la Scuola di San Giovanni Evangelista
de Venise, Venise, première moitié du XIVe siècle,
La Flagellation, 280 x 200 mm.

Page de droite : Monogrammiste M.F., Vénétie,
Vérone (?), deuxième moitié du XVe siècle,
La Crucifixion, 117 x 95 mm.

Venice, first half of the 14th century,
Mariegola of the Scuola de San Giovanni Evangelista
of Venice, The Flagellation, 280 x 200 mm.

Right page: province of Venice, Verona (?),
second half of the 15th century, Monogrammist M.F.,
The Crucifixion, 117 x 95 mm.